Le Village aux Infinis Sourires

et autres histoires

Texte de Barrie Baker
Illustrations de Stéphane Jorisch
Traduction de Michèle Marineau

Les grands albums • Les 400 coups

Nous remercions le Conseil des Arts du Canada de l'aide accordée à notre programme de publication et la SODEC pour son appui financier en vertu du programme d'aide aux entreprises du livre et de l'édition spécialisée.

Nous reconnaissons l'aide financière du gouvernement du Canada par l'entremise du programme d'aide au développement de l'industrie de l'édition (PADIÉ) pour nos activités d'édition.

Le Village aux Infinis Sourires et autres histoires
a été publié sous la direction de Christiane Duchesne.

Graphisme : Andrée Lauzon

Traduction : Michèle Marineau
Révision : Christiane Duchesne

Diffusion au Canada
Diffusion Dimedia inc.
539, boulevard Lebeau
Ville Saint-Laurent (Québec)
H4N 1S2

© 2000 Barrie Baker, Stéphane Jorisch et les éditions Les 400 coups pour l'édition française au Canada

Dépôt légal – 1er trimestre 2000
Bibliothèque nationale du Québec
Bibliothèque nationale du Canada

ISBN 2-921620-81-2

Imprimé au Canada par Litho Mille-Îles ltée en février 2000.

Le Village aux Infinis Sourires

et autres histoires

Le voyage

Le Village aux Infinis Sourires ressemblait à une île très peuplée posée sur une mer de champs moutonneux. Cet isolement convenait parfaitement aux villageois. Le sol leur procurait la nourriture dont ils avaient besoin, le troc leur permettait d'obtenir les rares biens qu'ils ne pouvaient produire eux-mêmes, et les nouvelles du monde leur parvenaient par la bouche des voyageurs de passage. Ils cultivaient allégrement le sol au rythme que leur imposait la Terre dans son voyage annuel autour du Soleil. Ils arrivaient toujours à payer la taxe sur le riz, et il leur restait encore de quoi vivre confortablement. Impossible pour eux d'imaginer qu'on puisse quitter volontairement le Village aux Infinis Sourires.

Grand-père reçut le message un mardi après-midi, au milieu du printemps. Un marchand de tissus ambulant le lui avait livré pour deux pièces de cuivre. Les oiseaux chantaient dans les arbres, et de minuscules pousses vertes perçaient la terre un peu partout. L'air était doux et chargé de vie. Des porcelets du printemps poussaient des cris aigus dans les enclos derrière les maisons ; çà et là, des canards et des poulets picoraient des graines et des insectes. Le monde était neuf, vert et délicieux. Qu'aurait-on pu demander de mieux ?

La nouvelle fit vite le tour du village, causant tout un émoi. En effet, c'était le premier message écrit qu'un villageois eût reçu depuis plus de trois ans. Et, comme le message précédent avait été porteur de mauvaises nouvelles, on craignait que ce nouveau contact avec le monde extérieur n'augure rien de bon.

Grand-père comprenait à quel point ce bout de papier plié en trois était important pour le village tout entier. Il attendit patiemment que tous les villageois soient rassemblés dans la cour. Puis, avec l'ongle de son pouce gauche, il décolla posément le sceau de cire d'abeille qui cachetait la missive. Il déplia ensuite soigneusement le bout de papier et l'approcha de son visage. Ses yeux usés mirent un moment avant de distinguer nettement les caractères tracés avec art. Remuant les lèvres en silence, il déchiffra laborieusement le message.

8

« C'est un message de mon vieux Maître, qui est aussi un ami très cher. C'est lui qui m'a pris comme élève et qui m'a enseigné à lire et à écrire. C'est lui aussi qui m'a transmis la sagesse des anciens. À ses côtés, j'ai voyagé un peu partout en Asie. Enfin, après quatre ans en sa compagnie, quand est venu pour moi le temps de décider si je retournerais chez moi ou si je continuerais à étudier, c'est lui qui m'a conseillé de revenir dans mon village, auprès de mes chers parents, qui nous ont quittés il y a déjà lontemps. Et voilà que mon Maître a dépensé de précieuses pièces de cuivre pour m'inviter à venir le voir en ville, afin que nous discutions une fois de plus du sens de nos vies et d'autres sujets d'importance.

— Mais, Grand-père, s'exclama un voisin d'une voix incrédule, vous savez que la ville est fort éloignée de notre village. Il faudrait au moins quatre jours à un jeune homme pour marcher jusque-là. Et, avec tout le respect que je vous dois, honorable Grand-père, il y a bien longtemps qu'on ne vous a pris pour un jeune homme.

— La distance n'a aucune importance, répliqua Grand-père. Mon vieil ami, qui fut aussi mon Maître, me demande d'aller le voir. Il est évident que je dois m'y rendre. Toute distance s'abolira quand je songerai aux merveilleuses discussions à venir. Quant à mon âge… Je suis vieux, bien sûr, mais j'ai veillé à préserver mon énergie justement pour ce genre d'aventure. Comment pourrais-je refuser une occasion pareille ?

— Vous allez donc y aller, Grand-père ? insista le voisin. Vous allez faire le voyage jusqu'à la ville ? »

Grand-père redressa la taille. Il n'aimait pas l'accent de doute qu'il percevait dans les propos du voisin. Il inclina solennellement la tête. De nombreux voisins hochèrent la leur.

« Eh bien, Grand-père, si vous êtes vraiment décidé, nous vous souhaitons tous la meilleure des chances. »

Grand-père demeura ferme.

« Merci, dit-il. Je partirai dans quatre semaines. »

La foule se dispersa peu à peu, et chacun retourna à ses affaires. Certains doutaient qu'un homme de cet âge puisse accomplir un tel voyage. D'autres se demandaient comment quelqu'un qui avait l'immense bonheur de vivre dans le Village aux Infinis Sourires pouvait envisager de s'en éloigner.

Les semaines suivantes, tout se passa comme d'habitude. Les activités des villageois étaient réglées par les besoins des champs et des pâturages. Tous étaient si occupés qu'ils n'avaient guère le temps de songer au voyage imminent de Grand-père. On croyait que le vieil homme aurait la sagesse d'oublier son projet et qu'il resterait tranquillement chez lui, dans le bonheur et la sécurité.

Mais Grand-père n'oublia pas. Plus le jour du départ approchait, plus l'excitation le gagnait.

Un matin, à son lever, il adressa ces mots à sa famille :

« Aujourd'hui, je pars pour la ville afin de rendre visite à mon vieil ami et cher Maître. Belle-fille, peux-tu me préparer des gâteaux de riz et des légumes que je mangerai en route ? »

Ses proches n'en croyaient pas leurs oreilles. Grand-père persistait dans son projet insensé. C'était un voyage de plusieurs jours. Le temps était à présent très chaud. La route était sèche et poussiéreuse. Pourquoi quelqu'un, et en particulier ce cher, ce très cher Grand-père, voudrait-il quitter le confort du village pour courir péniblement les routes jusqu'à une grande ville inconnue ?

Grand-père poursuivit ses préparatifs, malgré les membres de sa famille qui, les uns après les autres, tentaient de lui faire changer d'idée.

Enfin, il fut prêt à partir. Il sortit de la maison avec un panier de nourriture et une bouteille d'eau.

« Voilà, je m'en vais. Pensez souvent à moi avec affection. Moi, je penserai beaucoup à vous. »

Puis il se retourna et contempla la route étroite et poussiéreuse qui menait à l'extérieur du village. De nombreuses années avaient passé depuis que, tout jeune encore, il avait quitté son village pour aller étudier. À présent, songeant à son âge et à la distance qui le séparait de la ville, il se rendit compte qu'il ne voulait pas quitter sa famille.

Petite Orchidée, sa petite-fille, discerna une ombre sur le visage de son grand-père et comprit qu'il ne voulait pas partir. Il fallait qu'elle trouve le moyen de l'aider.

« Grand-père, vous allez me manquer quand vous serez au loin, et je penserai chaque jour à vous avec affection. Mais je me demande, cher Grand-père, s'il est sage que vous portiez vos belles pantoufles brodées sur une route aussi poussiéreuse ?

— Ah, tu as bien raison, ma chère Petite Orchidée, répondit Grand-père en retirant ses pantoufles et en les tendant à Premier Fils, le père de Petite Orchidée.

— Très cher Grand-père, vos pantoufles sont maintenant protégées, mais qu'en est-il de votre belle tunique de soie ? Elle souffrira elle aussi d'un voyage long et poussiéreux !

— Une fois de plus, tu as tout à fait raison, Petite Orchidée. Je vais laisser ma tunique à ton père si patient afin qu'il la mette à l'abri jusqu'à mon retour.

— Ô Grand-père, vous qui êtes sur le point de partir en voyage, votre magnifique pantalon est beaucoup trop précieux pour que vous le portiez au cours d'un voyage aussi long et dangereux. Vous allez l'abîmer irrémédiablement en lui faisant affronter jour après jour des nuages de poussière.

— En vérité, comme j'ai de la chance d'avoir une petite-fille si jeune et si pleine de bon sens ! Je me rends compte à présent qu'il me faut vous laisser mon pantalon afin que vous le protégiez. »

Grand-père enleva alors son pantalon.

« Au revoir, ma famille ! Au revoir, mon cher village ! Souhaitez-moi bonne chance ! » lança Grand-père en commençant à s'éloigner, chargé de son panier de nourriture et de sa bouteille d'eau, et vêtu de sa seule chemise. Il s'arrêta au bout de quelques pas, conscient que quelque chose clochait. « Regardez ! Ou plutôt, non, ne regardez pas ! Me voici sur la route en sous-vêtements ! Où avais-je la tête ? Comment puis-je faire un tel voyage en sous-vêtements ? Que dirait mon ami et Maître si je me présentais chez lui vêtu comme un bébé ou comme un mendiant ? Je n'ai pas le choix : il faut que je reste ici jusqu'à ce que j'aie résolu le problème des vêtements de voyage. »

Grand-père revint sur ses pas en toute hâte, arracha ses vêtements à Premier Fils et les enfila prestement.

« Grand-père, déclara Petite Orchidée avec ferveur, c'est sûrement un signe que vous devez rester dans votre petit Village aux Infinis Sourires, au sein de votre famille qui vous aime tendrement. »

La famille tout entière poussa un soupir de soulagement en comprenant que Grand-père resterait à la maison au moins jusqu'à ce qu'il ait réglé le délicat problème des vêtements. Mais que se passerait-il alors ?

La réponse à cette question ne se fit pas attendre. Quelques heures plus tard, Grand-père trempait son pinceau dans l'encre et traçait, au verso de la missive qu'il avait lui-même reçue, un message à l'intention de son vieux Maître :

Mon cher ami et Maître,

Des responsabilités familiales m'empêchent présentement de voyager. Peut-être pourriez-vous nous honorer d'une visite, ma famille et moi-même ?

Votre humble ami et disciple.

Le message fut remis, avec un sac rempli de gâteaux de riz et de légumes, à un rétameur qui se rendait à la ville.

Tout en sirotant son thé, Grand-père observa le soir tomber et effacer peu à peu toute trace de la route. Il était très heureux d'avoir modifié ses plans. Puis il regarda Petite Orchidée et se sentit doublement heureux de savoir que sa petite-fille le comprenait si bien.

La bicyclette

Les pluies d'hiver tombaient depuis deux semaines sur le Village aux Infinis Sourires, et la rue principale n'était plus qu'une mer de boue parsemée de grandes flaques d'eau. La famille, réfugiée à la maison, passait le temps à raconter des histoires, raccommoder des vêtements et réparer des outils brisés. Grand-père parlait de l'ancien temps, à l'époque où les pluies étaient dignes de ce nom.

« Je vous le dis, la pluie tombait si dru qu'on pouvait y pêcher des poissons à main nue quand ils tentaient de remonter vers les nuages. Il y avait tellement d'eau que le pays tout entier ressemblait à une mer immense. »

Comme d'habitude, Petite Orchidée, sa petite-fille adorée, l'écoutait avec passion.

« Oh, très cher Grand-père, est-il vrai que les poissons remontaient la pluie pour aller jusqu'aux nuages, ou êtes-vous seulement en train de raconter des histoires à votre Petite Orchidée ?

— D'accord, tu as raison, j'ai un peu exagéré, mais on retrouvait vraiment des poissons sur la terre ferme, dans les flaques, une fois que les eaux s'étaient retirées. J'ai même déjà rapporté deux belles grosses carpes, que ma mère a apprêtées avec des arachides et des oignons.

— Aviez-vous du mal à trouver du bois pour faire cuire votre poisson ? demanda Premier Fils. Nous, nous n'avons presque plus de bois à brûler, et il est impossible de trouver dans tout le village le moindre bout de bois, sec ou détrempé. »

Tous les membres de la famille restèrent silencieux après que Père eut fait part de cette nouvelle troublante. Sans bois, impossible de faire cuire le riz ou les nouilles, de faire frire les légumes, de sécher les vêtements ou de réchauffer leur petite maison. Quel malheur ce serait que de manquer de bois !

Pendant ce temps, en amont du fleuve, Homme aux Mille Mots — un honorable lettré, grand voyageur et messager officiel de personnages importants — avait lui aussi un sérieux problème. Sa bicyclette avait disparu. Elle avait été volée en même temps que l'arbre auquel elle était attachée. La veille au soir, il avait atteint le Village des Fleurs Sauvages après avoir marché toute la journée dans la boue. Il était épuisé, affamé, mouillé et gelé. Il avait solidement attaché sa bicyclette à un arbre près du pont avant de courir à l'auberge la plus proche, où il avait trouvé du thé, des nouilles cuites à la vapeur et un matelas de paille de riz bien sec au coin du feu. Pendant son sommeil, le fleuve s'était tellement gonflé que les eaux avaient atteint les racines de l'arbre auquel était attachée la bicyclette. L'arbre était tombé dans le fleuve, emportant la bicyclette avec lui. Il ne fallut pas longtemps à Homme aux Mille Mots pour comprendre ce qui s'était passé. Il entreprit de se rendre au village suivant pour voir si l'arbre s'y était échoué.

La pluie cessa dans la matinée, au moment
où Mère mettait la toute dernière brindille
sous la casserole de riz. Ce serait là leur dernier
repas de riz chaud, à moins qu'ils ne trouvent
un peu de bois. Ils auraient pu commencer à
brûler la maison, mais ils avaient besoin de
tout ce qu'ils possédaient, et il n'y avait chez
eux rien d'inutile.

« Famille, annonça Premier Fils, je sors une
fois de plus à la recherche d'un peu de bois ; je
vais bien finir par trouver une branche échouée
quelque part. » Il enfila une veste, prit une
corde et sortit.

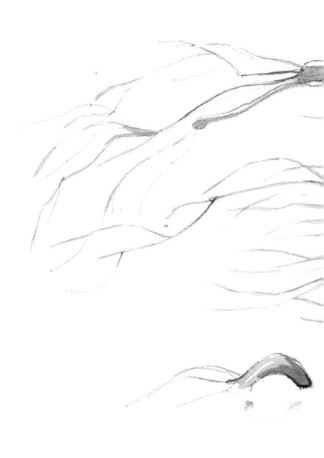

« Grand-père, qu'allons-nous faire ? Je ne peux
pas manger du riz cru…

— Petite Orchidée chérie, ta mère accomplit des
miracles dans une cuisine et elle peut sûrement
préparer un bon nombre de plats qui n'ont pas
besoin de cuisson. Je me demande cependant
comment nous allons pouvoir faire le thé, si
bienfaisant à la fin de la journée. En vérité, le
thé me manquera beaucoup. »

Pataugeant dans la boue entre les flaques d'eau,
Premier Fils était à l'affût de tout ce qui pouvait
servir de combustible. Mais il n'y avait rien, pas
la moindre brindille. Puis, soudain, il le vit. Un
arbre, un arbre tout entier était coincé sous leur

magnifique pont de pierre. C'était un gros
saule, qui pouvait fournir du bois à plusieurs
familles pendant un long moment.

Avant toute chose, Premier Fils devait s'assurer
que l'arbre ne partirait pas à la dérive. Prenant
sa corde, il fit une boucle autour de la branche
la plus grosse. Puis il enroula la corde autour
d'une pierre en saillie et il fit un nœud solide.
« Je dois trouver de l'aide, songea-t-il. Il y a là
assez de bois pour répondre aux besoins de
quatre familles, mais je dois faire vite avant
que quelqu'un d'autre trouve mon arbre. »

Il se hâta de rentrer chez lui et appela trois
voisins en leur disant de venir avec lui chercher

du bois. Puis il saisit sa hache et retourna au pont à toute vitesse. Personne d'autre n'y était. Lui et ses voisins se partageraient l'arbre tout entier !

Grand-père et Petite Orchidée accompagnèrent les ramasseurs de bois en tâchant d'avancer au même rythme qu'eux. Tous étaient très excités et se réjouissaient de leur bonne fortune. Les hommes eurent tôt fait de couper un grand nombre de branches. Ils entreprirent ensuite de haler le tronc hors du fleuve afin de le déposer sur la rive.

« Mais qu'est-ce que c'est ? Quelle est cette chose étrange attachée à notre arbre ? » s'exclama un jeune homme. Tous les yeux se tournèrent vers la bicyclette qui pendait du tronc. Lorsque l'arbre fut sur la berge, à l'abri du courant, les villageois portèrent leur attention sur l'objet de métal. Maniant couteaux et couperets, ils s'attaquèrent à la corde qui retenait la bicyclette à l'arbre. Bientôt, l'engin métallique reposa sur la rive. Pendant que les hommes découpaient l'arbre, Grand-père et Petite Orchidée examinèrent l'objet inconnu.

« Grand-père, quelle est cette machine ? Elle a l'air vraiment, mais vraiment bizarre. Elle me fait même un peu peur. Regardez ces dents brillantes et pointues sur la petite roue !

— Je ne crois pas que nous ayons à nous inquiéter, petite-fille chérie. Il faudrait qu'on touche à cette machine pour la rendre dangereuse. »

En quelques heures, tout le bois fut débité et soigneusement cordé. Ensuite, Premier Fils, qui avait découvert l'arbre, eut le privilège de mettre la bicyclette à l'abri de la pluie. Tout le monde savait que le métal rouillait si on le laissait dans l'eau, et cette chose semblait trop précieuse pour qu'on la laisse rouiller.

« Le propriétaire de cette machine l'aime vraiment beaucoup, songea Premier Fils. Il l'a solidement attachée à un arbre, et elle serait encore là où il l'a mise si le fleuve n'avait pas emporté la berge — et l'arbre avec elle. Peut-être le propriétaire viendra-t-il chercher sa machine. Nous allons la garder propre, à l'abri de l'eau. »

Le soleil revint, le village commença à sécher, et le fleuve retourna dans son lit, retrouvant son aspect habituel. Homme aux Mille Mots scrutait la rive à la recherche de l'arbre qui avait volé sa bicyclette. Il finit par atteindre le Village aux Infinis Sourires. Tout en sirotant une tasse de thé, il demanda au marchand de nouilles si quelqu'un avait vu un gros saule charrié par le fleuve.

« Oui, répondit le marchand, un arbre s'est bien échoué contre le pont.

— Et où est-il, à présent ?

— Découpé, cordé et prêt à brûler.

— Qui l'a trouvé ?

— Petit Dragon, un fermier.

— Et où habite ce Petit Dragon ?

— Va-t-il avoir des ennuis ?

— Non, non, j'aimerais seulement le rencontrer.

— Il habite un peu plus loin, dans la maison où il y a un papillon peint sur la porte. »

Homme aux Mille Mots paya son thé et, d'un pas vif, partit à la recherche de la maison au papillon.

« Petit Dragon, es-tu là ? Peux-tu sortir, s'il te plaît ? Tu es sans doute capable de m'aider… »

Premier Fils savait ce que voulait l'étranger. Il était venu reprendre le bel engin brillant dont les roues tournaient si facilement et dont la clochette tintait si joliment quand on appuyait sur le bouton. Premier Fils ne savait pas ce qu'était cet engin, mais il voulait le garder.

Lentement, il sortit de la maison.

« Je suis Petit Dragon, dit-il. Je ne vous connais pas et je ne sais pas ce que vous voulez.

— Je suis Homme aux Mille Mots, lettré et messager pour des gens importants. J'ai des raisons de croire que tu as trouvé ma bicyclette attachée à l'arbre que tu as débité pour le brûler.

— Je ne sais pas ce qu'est une bicyclette, mais j'ai effectivement trouvé une étrange machine de métal munie de cornes qui pointent vers l'arrière, de deux grandes roues et d'une petite roue avec des dents.

— Ah ! c'est bien ma bicyclette, ma belle bicyclette ! Si tu me dis où elle est, je vais la récupérer et reprendre ma route.

— Mais comment puis-je savoir que vous dites la vérité ? N'importe qui peut venir réclamer ce bel objet. Pouvez-vous me donner d'autres détails à son sujet ?

— Les cornes, c'est le guidon qui me sert à diriger la bicyclette. Et, du côté droit, il y a une jolie sonnette d'argent qui tinte lorsqu'on l'actionne avec le pouce.

— La sonnette... Vous m'avez convaincu : ce merveilleux objet est bien à vous. »

Petit Dragon entra dans la maison et en ressortit peu après, la bicyclette sur l'épaule. Le voyageur comprit que personne, dans ce village, n'avait jamais vu de bicyclette. Cela lui donna une idée.

« Ta famille et toi avez pris bien soin de ma bicyclette, dit-il. Pour vous remercier, j'aimerais vous faire faire un tour...

– Un tour ? Je ne comprends pas... » commença Premier Fils, qui ouvrit des yeux étonnés en voyant Homme aux Mille Mots poser la bicyclette sur ses roues, mettre un pied sur une pédale et enfourcher la selle. La chose bougeait ! L'étranger bougeait lui aussi ! Les deux bougeaient de concert : les jambes de l'étranger montaient et descendaient, la roue ornée de dents tournait, et les grandes roues avançaient en tournant. Ah ! mais il y avait un problème... la bicyclette se dirigeait droit vers une flaque d'eau. Qu'allait-il se passer ? Incroyable ! L'étranger fit bouger les cornes, et la bicyclette dévia de sa route, évitant ainsi la flaque. Et soudain... DRING... DRING... DRING... la sonnette se mit à tinter plus fort qu'elle ne l'avait jamais fait quand Premier Fils ou sa famille actionnaient la manette.

Étonnée et ravie, Petite Orchidée se mit à rire. La famille tout entière applaudit en poussant des hourras – chacun avait observé la scène avec attention, et tout le monde était dehors, à présent, pour voir l'extraordinaire bicyclette. D'autres hourras fusèrent quand l'étranger, une fois rendu au bout de la rue, fit demi-tour et revint vers les spectateurs beaucoup plus vite qu'un homme qui court. Il s'arrêta près de Petit Dragon et lui dit de s'asseoir sur le siège.

« Tu dois rester assis sans bouger et bien te tenir », ordonna-t-il. Il immobilisa la roue, posa le pied gauche sur la pédale du haut et appuya pour faire descendre celle-ci. L'engin bondit vers l'avant, et Petit Dragon pencha brusquement vers l'arrière. « Reste tranquille et cesse de me crier dans les oreilles », ordonna le voyageur d'une voix qui ressemblait plus à celle d'un capitaine de bateau qu'à celle d'un propriétaire de bicyclette. Petit Dragon se calma et, lorsque la bicyclette prit de la vitesse, un grand sourire illumina son visage ; il rejeta la tête vers l'arrière et éclata de rire. Il riait aux éclats, ivre de vitesse et de liberté. Ses cheveux volaient au vent. Il entendait tinter la sonnette …

Trop tôt au goût de Petit Dragon, le voyageur le ramena jusqu'à sa porte. Tout le village observait la scène et, quand la bicyclette s'immobilisa, les applaudissements éclatèrent. Après avoir mis pied à terre, Petit Dragon prononça quelques mots.
« Ô Maître, Homme aux Mille Mots, propriétaire de la merveilleuse bicyclette, auriez-vous l'amabilité de permettre à un autre membre de ma famille de voler comme le vent sur votre extraordinaire engin ? »

Le visiteur regarda le reste de la famille – la mère, le fils, la petite-fille et le grand-père.

« L'un d'entre vous aimerait-il faire un tour de bicyclette comme Petit Dragon ? »

Embarrassés, tous regardaient leurs pieds. Puis Petite Orchidée fit un pas en avant, pour reculer aussitôt, tirée en arrière par sa mère. « Mère, j'aimerais beaucoup faire un tour de bicyclette, comme mon honorable père vient de le faire. »

– Silence, mon enfant. Je ne crois pas que les bicyclettes conviennent aux filles. »

Grand-père s'avança alors.

« J'aimerais faire un tour sur votre machine, et j'aimerais aussi faire tinter la sonnette d'argent comme vous le faites.

— Avec plaisir », répondit le visiteur.

Les yeux pleins de tristesse de Petite Orchidée se mirent à briller.

« Mère, pourrais-je moi aussi faire tinter la sonnette selon les règles ?

— Oui, ma fille, si notre visiteur est d'accord. »

Petite Orchidée fit tinter la sonnette tandis que Grand-père oscillait sur la selle. Elle applaudit lorsque celui-ci s'éloigna, droit et digne sur la bicyclette. Elle rit en sautillant quand son grand-père adoré descendit de la bicyclette après sa courte promenade et adressa un petit salut à tous les voisins, qui applaudirent et le saluèrent en retour.

Le frère de Petite Orchidée chevaucha ensuite la belle bicyclette, puis Homme aux Mille Mots leur fit ses adieux et s'éloigna en pédalant et en faisant tinter sa sonnette.

Cette nuit-là, presque tous les hommes et tous les garçons du village rêvèrent de posséder un jour une bicyclette. Petite Orchidée, elle, rêva que la sienne aurait deux sonnettes, une de chaque côté.

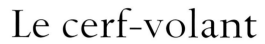

Le cerf-volant

Les brises de mars commencèrent à souffler et, partout dans le pays, des gens de tout âge se mirent à fabriquer des cerfs-volants de papier et de bambou. Le jour, on apercevait toujours au moins un cerf-volant s'élever dans le ciel, planer ou plonger vers le sol. Dans le Village aux Infinis Sourires, Grand-père se souvenait des magnifiques cerfs-volants qu'il avait construits dans sa jeunesse. Il parlait de cerfs-volants si beaux qu'ils couvraient de honte les oiseaux les plus colorés, de cerfs-volants à l'allure si farouche que des hommes pourtant courageux tremblaient à leur vue, de cerfs-volants si grands qu'ils pouvaient soulever un homme haut dans les airs…

« Oui, nous savions fabriquer des cerfs-volants, à cette époque. »

Et le vieillard sourit en évoquant la sensation unique d'une corde de cerf-volant qui se tend brusquement entre les mains.

« Grand-père, ô Grand-père adoré, dit Petite Orchidée, comme j'aurais aimé faire voler des cerfs-volants avec vous. Nous nous serions tellement amusés.

— Eh oui, ma petite-fille chérie, nous nous serions vraiment amusés. Quel dommage que nous n'ayons pas un cerf-volant à nous à présent. Je t'apprendrais à le faire planer, monter, plonger, tourner et virevolter. Oui, nous passerions des moments merveilleux si seulement nous avions un cerf-volant.

— Grand-père, est-il si difficile de construire un cerf-volant, un petit cerf-volant que vous pourriez faire voler avec votre petite-fille adorée ? »

Grand-père resta silencieux un moment.

« Grand-père chéri et adoré, une fille qui n'est encore qu'une enfant peut-elle apprendre de son grand-père à fabriquer et à faire voler un cerf-volant ? »

Grand-père garda le silence encore un instant avant de dire, avec un enthousiasme croissant :

« Apporte-moi les plus longues tiges de bambou que tu puisses trouver. Elles doivent être sèches, légères et résistantes. Il y en a dans la cabane au fond du jardin. Apporte-moi ensuite le rouleau de beau papier que je garde près de mon lit. Et n'oublie pas la colle et la ficelle ; tu en trouveras aussi dans la cabane du jardin ! Toi et moi, ma petite-fille chérie, nous allons fabriquer un cerf-volant. Pas n'importe lequel, oh non, le plus grand, le plus beau cerf-volant du monde ! »

Petite Orchidée était toujours vive, mais jamais autant que ce jour-là, lorsqu'elle rassembla les matériaux nécessaires à la confection du cerf-volant. Elle faillit renverser sa mère en courant chercher le papier dans la maison et elle heurta son père en sortant précipitamment de la cabane.

« Qu'est-ce que tu as à courir comme ça ? Et où as-tu l'intention d'aller avec ces cannes à pêche ?

— Excuse-moi, Père. Grand-père et moi allons fabriquer un cerf-volant. Nous ne briserons pas les cannes. »

Puis Petite Orchidée se hâta d'aller retrouver son grand-père dans la cour.

Le vieil homme avait dégagé une large portion du sol de terre battue et il était en train d'ouvrir les beaux ciseaux coupants que Petite Orchidée voulait toujours lui emprunter.

« Merveilleux, merveilleux. À présent, tu vas faire exactement ce que je te dis. Place les tiges de bambou de cette façon, puis attache-les ensemble avec de la colle et de la ficelle, là où elles se croisent. »

Grand-père et Petite Orchidée passèrent la journée à attacher, à coller et à couper du papier. Ils appliquèrent le dernier trait de colle sur le dernier pli du papier soigneusement taillé à l'instant précis où la dernière lueur du jour disparaissait dans le ciel de mars. Le lendemain, si le temps le permettait, ils feraient l'essai du cerf-volant.

Au réveil, Grand-père dit à Petite Orchidée :

« Retourne à la cabane du jardin et rapporte la corde robuste que ton père utilise pour pêcher les grosses carpes et les esturgeons. »

Au milieu de la matinée, le vent soufflait assez fort pour qu'on puisse essayer le cerf-volant. Sur le sol, il semblait beaucoup trop grand pour arriver à voler. Il semblait aussi trop fragile pour résister au vent. Grand-père et Petite Orchidée le transportèrent avec beaucoup de soin dans un grand champ en pente. Puis Grand-père dit à sa petite-fille de le monter au sommet de la butte la plus élevée. Elle devrait ensuite dévaler la butte à toute vitesse en tirant le cerf-volant face au vent. Quand le cerf-volant se mettrait à voler, elle laisserait filer doucement la corde jusqu'à ce que Grand-père, qui tenait le rouleau de fil à pêche, lui dise de tout lâcher. À ce moment, c'est Grand-père qui ferait voler le cerf-volant.

Petite Orchidée grimpa d'un pas décidé jusqu'au sommet de la butte en tenant le cerf-volant au-dessus de sa tête ; on aurait dit un joli petit papillon avec des tresses noires. Une fois au sommet, elle se retourna pour faire face à son grand-père et au vent. Puis elle dévala la pente en courant de toutes ses forces. Dans ses mains, la corde du cerf-volant se tendit, et Petite Orchidée la laissa filer un peu. La corde se tendit de nouveau, Petite Orchidée la laissa filer davantage. « Le cerf-volant doit sûrement voler, à présent », songea la fillette. Elle aurait voulu regarder, mais n'osait pas le faire. Grand-père lui avait dit de courir sans s'arrêter jusqu'à ce qu'il lui ordonne de tout lâcher. Oh ! pourquoi ne lui disait-il pas de le faire ? Elle aurait tellement voulu se retourner pour voir ce qui se passait !

Enfin, l'ordre tant attendu arriva. « Allez, Petite Orchidée, lâche tout ! » Petite Orchidée libéra la corde et se retourna juste à temps pour voir leur magnifique cerf-volant s'élever d'un coup sec puis piquer brusquement du nez vers le sol. Au dernier moment, Grand-père laissa filer davantage la corde afin d'amortir la chute du cerf-volant, qui s'écrasa pourtant au sol. Petite Orchidée se mit à pleurer : leur beau travail réduit en miettes… Grand-père serait tellement déçu. Elle courut vers le cerf-volant, certaine de le trouver en morceaux.

Non, il était intact ! Un peu sale, mais intact. Quel beau cerf-volant solide ils avaient fabriqué ! Grand-père lui criait à présent de ramasser le cerf-volant et de remonter au sommet de la butte.

Cette fois, quand Petite Orchidée lâcha le cerf-volant, celui-ci s'éleva rapidement dans les airs. La fillette avait l'impression que son cœur volait aux côtés du cerf-volant aux magnifiques couleurs qui flottait avec assurance haut dans le ciel. Trois hirondelles plongèrent à sa vue, certaines qu'il s'agissait d'un énorme oiseau en quête de nourriture.

Dans les champs et les rizières, hommes et femmes interrompirent leur travail pour observer le cerf-volant. Ceux qui travaillaient dans les maisons et les boutiques cessèrent eux aussi leurs activités pour regarder par les fenêtres ou pour sortir dehors en entendant les gens crier : « Regardez le cerf-volant du vieux Grand-père et de Petite Orchidée ! » Peu à peu, cependant, tous retournèrent travailler, laissant Grand-père et sa petite-fille à leur cerf-volant.

Le vent se mit à souffler plus fort.

« Ah, dit Grand-père, je ferais mieux de nouer la corde autour de mon corps pour éviter que le vent m'arrache le cerf-volant des mains. »

Il noua donc la corde autour de sa taille. Le vent soufflait de plus en plus fort, et Grand-père, entraîné par son cerf-volant, gravit rapidement la butte. Quand il fut au sommet, ses pieds quittèrent le sol, et il se mit à faire des bonds. À certains moments, il touchait le sol ; à d'autres, il flottait dans les airs.

Petite Orchidée courait après lui en criant :

« Grand-père chéri, je vous en prie, cessez de jouer et laissez à votre petite-fille la chance de tenir le cerf-volant à son tour.

— Mon enfant, répondit le vieillard d'une voix haletante, je reviendrais vers toi avec grand plaisir, mais le cerf-volant semble avoir d'autres projets pour moi. »

Un coup de vent violent frappa alors le cerf-volant, soulevant celui-ci, ainsi que le vieux Grand-père, par-dessus les arbres les plus hauts.

« Oh non ! Grand-père va être emporté jusqu'au soleil, et il va cuire comme une aile de poulet plongée dans l'huile d'arachide bouillante ! Quel spectacle horrible pour une petite-fille aimante que de voir ainsi périr son grand-père ! »

Petite Orchidée plaqua ses mains devant ses yeux, risquant tout juste un regard entre ses doigts.

« Je suis perdu, murmura Grand-père. Je vais être emporté jusqu'au soleil et cuire comme une aile de poulet plongée dans l'huile d'arachide bouillante ! Quel spectacle horrible pour ma petite-fille préférée que de voir ainsi périr son grand-père ! »

Petite Orchidée se mit à crier :

« Grand-père, Grand-père chéri et adoré, Grand-père si petit dans le ciel, j'ai peur. S'il vous plaît, Grand-père, revenez vers moi ! »

Les mêmes pensées tourbillonnaient dans l'esprit de Grand-père. Il était si terrifié qu'il arrivait seulement à hoqueter et à cligner des yeux, tout en continuant à voler de plus en plus haut. « Je vais me mettre à grésiller d'un instant à l'autre », songeait-il. Évidemment, il n'aurait jamais pu se rendre jusqu'au soleil au moyen d'un cerf-volant, mais il ne le savait pas ; il s'inquiétait donc beaucoup tout en agitant les bras et les jambes. On aurait dit qu'il essayait de nager.

Après quelques instants, le vent se calma, et le cerf-volant commença à descendre, entraîné par le poids de Grand-père. Petite Orchidée était hors d'haleine après avoir tant couru derrière le cerf-grand-père-volant. Trois jeunes hommes du village s'étaient joints à elle. Dès qu'ils le purent, ils agrippèrent Grand-père et le ramenèrent vite sur terre avec son cerf-volant.

« Grand-père, pourquoi m'avez-vous fait si peur ? Vous ne m'aviez pas dit que vous alliez faire un tour avec notre beau cerf-volant.

— Petite-fille chérie, ton vieux grand-père te promet de ne plus jamais faire de voyage de ce genre. Jouer à l'oiseau, ne fût-ce qu'une fois, c'est trop pour moi. Rentrons à la maison, où nous prendrons le thé tranquillement. Il nous reste des bouts de papier et des morceaux de bambou. Je vais te montrer comment fabriquer le plus petit cerf-volant du pays. »

Et c'est précisément ce qu'ils firent.

Le Village aux Infinis Sourires

U n riche négociant traversait le Village aux Infinis Sourires quand il se sentit brusquement affamé. « Je dois manger, se dit-il, sans quoi je serai malade. »

De sa chaise, il scruta les maisons bordant la rue dans laquelle il avançait. Soudain, il aperçut la boutique d'un marchand de nouilles. «Voilà ce qu'il me faut, dit-il. Des nouilles frites, cuites à la vapeur ou servies dans une soupe — mais des nouilles. »

Il ordonna à ses porteurs de s'arrêter et, d'un mouvement délicat, il descendit de la chaise et posa le pied sur les matelas de paille de riz que son valet avait posés par terre pour lui éviter de souiller ses pantoufles de soie.

« Avez-vous des nouilles fraîches ? demanda le négociant d'une voix autoritaire en entrant dans la boutique pleine de buée.

— Oh oui, honorable visiteur, nous avons des nouilles délicieuses, répondit le marchand de nouilles. Comment les voulez-vous ? Vapeur, frites, bouillies, en soupe ? Comment, ô noble étranger ?

— Laisse-moi y penser. »

Incapable de se décider, le visiteur finit par dire : « Donne-m'en beaucoup de chaque sorte.

— Parfait, seigneur. En attendant, voudriez-vous du thé et quelques biscuits ? »

Le marchand de nouilles s'affaira ensuite à préparer des nouilles. Sa femme, ses deux fils et ses trois filles préparèrent des nouilles. Sa tante prépara des nouilles.

L'étranger attendit patiemment en sirotant du thé vert dans un bol de porcelaine et en croquant des biscuits aux amandes. Soudain, l'odeur d'un plat qu'il aimait encore plus que les nouilles lui chatouilla les narines. Du riz au pâté de soja et aux légumes ! À présent, ce qu'il désirait plus que tout

au monde, c'était du riz au pâté de soja et aux légumes. Il frappa dans ses mains, et ses serviteurs accoururent. Le riche négociant fut vite de retour dans sa chaise à porteurs, qui s'ébranla aussitôt en suivant l'odeur de riz, de soja et de légumes.

Le marchand de nouilles, sa femme, ses deux fils et ses trois filles sortirent dans la rue en courant.

« Mais qu'allons-nous faire de toutes ces nouilles ? s'écrièrent-ils en chœur.

— Ce que vous voulez, répondit l'étranger. Je suis sûr que vous en ferez bon usage. »

Au coin de la rue se trouvait la boutique de la famille Li. C'est de là que provenait la délicieuse odeur de riz au soja et aux légumes.

« Arrêtez ! » lança le négociant à ses porteurs.

Il sauta de la chaise pendant que son valet se précipitait pour placer les matelas de paille de riz destinés à protéger ses belles pantoufles.

« Vite, du riz au pâté de soja et aux légumes ! Apportez-m'en des tonnes, je meurs de faim !

– Ô riche et honorable visiteur, répondit le marchand de riz étonné, nous venons tout juste de terminer notre repas de riz et de légumes. Je vous en prie, asseyez-vous, buvez du bon thé chaud et prenez quelques-uns de ces biscuits aux amandes. Je vous promets que vous n'aurez pas à attendre longtemps. »

L'étranger s'assit pour boire son bol de thé fumant à petites gorgées et grignoter des biscuits aux amandes.

L'épouse de M. Li, ses quatre filles, ses vieux parents et sa vénérable grand-mère — qui était la deuxième personne la plus âgée du village — se mirent au travail. Ils firent cuire le riz à la vapeur, nettoyèrent et coupèrent les oignons, les choux, les carottes, les radis et les poivrons. Ils firent sauter le pâté de soja.

Pendant que le riche négociant attendait en sirotant son thé et en grignotant ses biscuits, une odeur lui chatouilla les narines — l'odeur d'un plat qu'il aimait plus que les nouilles et même plus que le riz au soja et aux légumes.

« Quel est ce délice que je sens maintenant ? Une carpe aux pêches en sauce rouge ? En vérité, c'est là mon plat préféré ! »

Il frappa dans ses mains, et ses serviteurs accoururent.

« Trouvez-moi une carpe aux pêches en sauce rouge ! » ordonna-t-il.

Quelques secondes plus tard, la chaise à porteurs filait en cahotant vers le point d'origine de l'odeur de carpe, de pêches et de sauce rouge. M. Li sortit de sa boutique en courant.

« Mais, seigneur, j'ai ici une immense casserole de riz et un wok rempli de légumes, sans parler d'une énorme portion de pâté de soja. Que vais-je faire avec tout ça ? »

Les porteurs continuèrent à trottiner le long de la rue sinueuse. Du haut de sa chaise, le riche négociant eut un geste désinvolte de la main. « Faites-en ce que vous voulez. Je suis sûr que vous en ferez bon usage. »

La chaise se faisait durement secouer. Le négociant se faisait également secouer, mais il ne se plaignait pas. Il ne pensait qu'à une chose : la carpe aux pêches en sauce rouge. Il aperçut soudain une boutique ornée d'une enseigne en forme de poisson.

« Arrêtez ! » hurla-t-il. Et, avant que son valet ait eu le temps de sortir les matelas de paille de riz, il sauta dans la boue et se précipita dans la boutique, courbant la tête pour éviter de se cogner le front contre le linteau de la porte basse.

« Est-ce bien une carpe aux pêches en sauce rouge que je sens ?

— Oui, honorable visiteur. Puis-je vous en offrir ? Nous pouvons la préparer rapidement si tel est votre désir.

— Oh oui, oui, il faut que je mange une carpe aux pêches en sauce rouge, qui est mon plat préféré, celui que j'aime le plus au monde. Carpe, carpe, carpe, apporte-m'en des tonnes et des tonnes ! »

Le cuisinier, sa femme, son fils, sa fille, sa tante et la tante de sa femme commencèrent à préparer une carpe aux pêches en sauce rouge.

Pendant ce temps, le négociant affamé but encore plus de thé et croqua encore plus de biscuits. Il commençait à avoir moins faim. À vrai dire, huit biscuits aux amandes et quatre bols de thé lui avaient totalement coupé l'appétit. Et, au moment où son repas arrivait, il frappa dans ses mains.

« Allez, dépêchez. Nous sommes en retard. Nous devons être en ville mardi, sans quoi je raterai d'importantes affaires. Pourquoi perdons-nous notre temps dans cette boutique ? »

Les serviteurs s'empressèrent de poser les petits matelas de paille de riz par terre, puis, lorsque leur maître fut installé, ils soulevèrent la chaise et commencèrent à s'éloigner au trot.

Consternée, la famille du cuisinier sortit en criant :

« Mais, seigneur, qu'allons-nous faire de cette carpe délicieuse, et des pêches, et de la sauce rouge ?

— Ce que vous voulez. Je suis sûr que vous en ferez bon usage. »

Les trois marchands restèrent dans la rue à regarder la chaise à porteurs traverser le pont et disparaître au loin. Ils avaient tous trois le même problème : que faire avec toute cette nourriture ? Il y en avait beaucoup trop pour leurs besoins personnels, et il était hors de question de donner ces délices aux oies et aux cochons.

Les trois hommes restèrent silencieux un moment. Puis le premier prit la parole :

« Cet étranger m'a inspiré un tel enthousiasme que j'ai préparé assez de nouilles – frites, bouillies et en soupe – pour nourrir au moins trente personnes. Que vais-je faire avec toutes ces bonnes nouilles ? Elles vont se gâter si on ne les mange pas bientôt. »

Les autres approuvèrent.

« Je sais, dit le marchand de poissons. Nous avons fait cuire douze carpes, auxquelles nous avons ajouté au moins dix-huit pêches dorées et juteuses, et une sauce… une sauce absolument parfaite. C'est la meilleure carpe aux pêches en sauce rouge qui ait jamais été préparée. Elle ferait les délices de l'Empereur lui-même. Mais la carpe sera elle aussi gâtée si on ne la mange pas bientôt. »

M. Li soupira d'un air triste.

« Le meilleur riz aux légumes et au pâté de soja que j'aie jamais préparé est en train de refroidir dans ma boutique, dit-il. Que vais-je faire avec tout ce riz ? »

La fille la plus jeune de M. Li avait écouté les doléances des trois hommes.

« Pourquoi ne pas organiser une grande fête pour Grand-père ? suggéra-t-elle. Il a soixante-douze ans cette année. Nous pourrions manger juste là, dans le pré. »

Du doigt, elle montra un joli pré dont le foin avait été fauché la semaine précédente.

Les trois hommes échangèrent un regard avant de se mettre à sourire.

« Va chercher le reste de nos familles. Nous, nous allons inviter les voisins. »

Quelle fête ce fut !

Comme le village n'était pas bien grand, presque tout le monde était présent, et chacun avait apporté un plat. Les villageois burent, mangèrent et fraternisèrent longtemps après que la lune se fut levée. Et quand vint le temps de ramener les enfants à la maison pour les coucher, tous s'accordèrent pour dire qu'ils ne s'étaient jamais autant amusés de leur vie.

46